le beurre

le champignon

le saladier

le rouleau
à pâtisserie

le verre

le livre de recettes

le four

les fleurs

l'assiette

le couteau

la pomme

Un personnage de Thierry Courtin
Couleurs : Françoise Ficheux

Loi n°49-956 du 16 juillet 1949
sur les publications destinées à la jeunesse,
modifiée par la loi n°2011-525 du 17 mai 2011.
© 2012 Éditions NATHAN, SEJER, 25 avenue Pierre de Coubertin, 75013 Paris
ISBN : 978-2-09-253780-0
Achevé d'imprimer en janvier 2016
par Lego, Vicence, Italie
N° d'éditeur : 10220207 - Dépôt légal : mars 2012

T'choupi
et la cuisine

Illustrations
de Thierry Courtin

Nathan

C'est bientôt l'heure de manger :

papa va préparer le dîner.

- Je peux t'aider ? demande  .

T'choupi

- Mais bien sûr, mon chéri. Voici

un tablier pour ne pas te tacher.

Papa sort les courses.

– J'ai acheté des  ,
tomates

des 🍄🍄 et un 🥒 :
champignons   concombre

on va faire une bonne salade !

Il ne manque plus que les .

œufs

Papa aide T'choupi à les attraper

dans le . C'est haut !

réfrigérateur

Pour faire la sauce de la salade,

papa verse de l'huile, du vinaigre,

du poivre et une pincée de sel

dans un bol .

– Je mélange très vite, moi !

dit T'choupi.

Tout est prêt : T'choupi peut remplir

le  .

saladier

Pendant ce temps, papa regarde

le  :

livre de recettes

– Tu aimes la aux pommes,

tarte

T'choupi ?

Avec la  farine et le beurre ,

papa fait une grosse boule de pâte.

T'choupi s'amuse comme un fou :

- C'est rigolo, le rouleau à pâtisserie !

T'choupi dispose les morceaux

de  dans le plat.

pomme

– Quelle jolie tarte, T'choupi !

Il ne reste plus qu'à la mettre

au  .

four

Papa déplie la nappe.

– Et maintenant, on prépare la table :

je vais chercher les !

assiettes

– Moi, j'ai déjà pris les ,

serviettes

dit T'choupi.

Puis papa revient avec les

verres

et les couverts.

– On pose le 🔪 à droite

couteau

de l'assiette et la 🍴 à gauche.

fourchette

T'choupi ajoute les petites 🥄🥄.

cuillères

Ding-dong ! Qui sonne à la porte ?

– Mmm... ça sent bon ici ! dit .

maman

T'choupi est tout fier.

– J'ai fait une tarte avec .

papa

– Bravo, tu es un vrai petit cuisinier !

Et pour décorer la  ,

table

maman a une idée : elle apporte

un magnifique bouquet de !

fleurs

– Bon appétit, T'choupi !

Retrouve tous les objets de la cuisine :

un tablier
une tomate
un champignon
un concombre
des œufs
un réfrigérateur
des bols
du sel et du poivre
un saladier
un livre de recettes
une tarte
de la farine
du beurre
un rouleau à pâtisserie
une pomme
une assiette
des serviettes
un verre
une fourchette
une cuillère
des fleurs
une table

Et dans la même collection...

créez et partagez la liste rêvée de votre enfant sur **mabiblionathan.com**